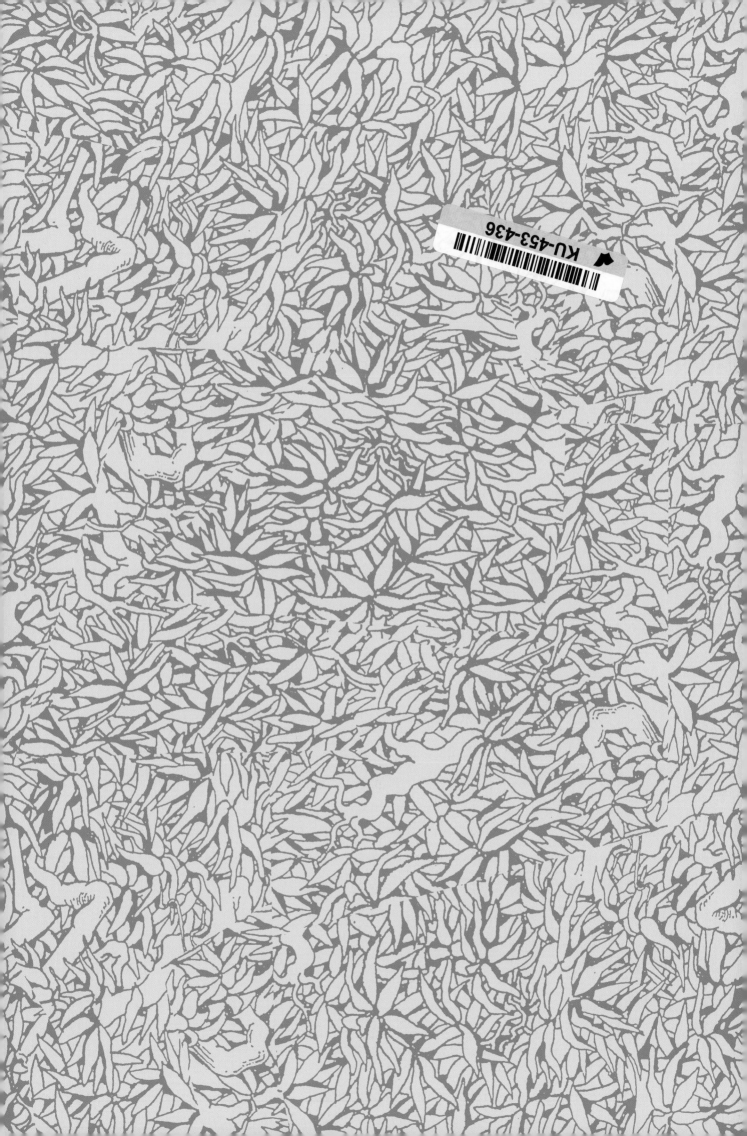

Claude Ponti, geboren 1948 in Lothringen, studierte
Archäologie und Kunst, bevor er zu einem der bekanntesten
Bilderbuchmacher Frankreichs wurde. Er lebt in Paris
und veröffentlicht auch Romane für Erwachsene.

1. Auflage der Neuausgabe in verändertem Format, 2010
© 1999 Moritz Verlag, Frankfurt am Main
Alle deutschsprachigen Rechte vorbehalten
Die französische Originalausgabe erschien 1998 unter dem Titel *Ma vallée*
© 1998 l'école des loisirs, Paris
Lettering: Jörn Krug
Druck: Uhl, Radolfzell
Printed in Germany
ISBN 978 3 89565 221 9
www.moritzverlag.de

Claude Ponti

Das schönste Tal
der Welt

Aus dem Französischen von Erika Klewer

Moritz Verlag

Frankfurt am Main

Das ist mein Tal. Ich bin in dem Haus-Baum auf den Blauen Felsen geboren. Ich bin ein Twim.
Alle Twims leben in meinem Tal. Es ist das schönste Tal der Welt.

Meine Familie

Als ich auf die Welt kam, hat Mama gesagt: »Was für ein hübscher kleiner Twim! Er ist so weich wie die Strubbelinsel. Wir wollen ihn Wuschli-Bluh nennen.« Papa hat mich auf seine Hand gesetzt und allen gezeigt: der Erde, den Sternen und dem Mond. Dabei hat er gesagt: »Das ist Wuschli-Bluh, unser Jüngster.« Die ganze Welt hat mich gesehen und ich hab gesehen, dass die Welt sehr groß ist, mit dem Himmel oben, meinem Tal unten, und mittendrin meine Familie: Papa, Mama, Mamas Eltern, die sich zum Teetrinken immer auf einen Ast setzen, Papas Eltern, die alle Tiere gern haben, meine vier Schwestern, meine vier Brüder und mein regenscheuer Didi.

Meine Mama Mirmilla-Mome, Silvette, Tusogut, Knöpfli, Ich, Zöpfli, Bluhnette, Mutsch-Buba (unten), Bugi-Wugi (obendrauf), Hallo-Du mit seinem Plapp, mein Papa Ba-Pabuno.

Meine Großeltern: Twim-Sipu und Twim-Sola, Twim-Susisu und Twim-Siba.

Der Haus-Baum

In meinem Haus-Baum ist ganz oben
das Sternenzimmer. Da sind wir alle
geboren, nur nicht Bugi-Wugi, weil
Mama damals gerade bei ihren Eltern
zu Besuch war. Ganz unten zwischen
den Wurzeln sind die Keller mit den
Vorratsräumen. Dazwischen liegen
die Schlafzimmer, ein Schwimmbad,
Treppen, das Turnzimmer, mehrere
Bücherzimmer und Kamine,
in denen Feuer brennt.

Haus-Bäume wachsen nicht einfach
so. Man muss sie an der richtigen
Stelle pflanzen und sich liebevoll
um sie kümmern. Meinen hat
Ura-Uma-Moma gepflanzt, das ist
die Oma vom Opa vom Papa von
der Oma von Mama. Sie ist da ein-
gezogen, als sie mit zweihundert
Jahren ihr erstes Kind bekommen
hat, Turn-Filu.

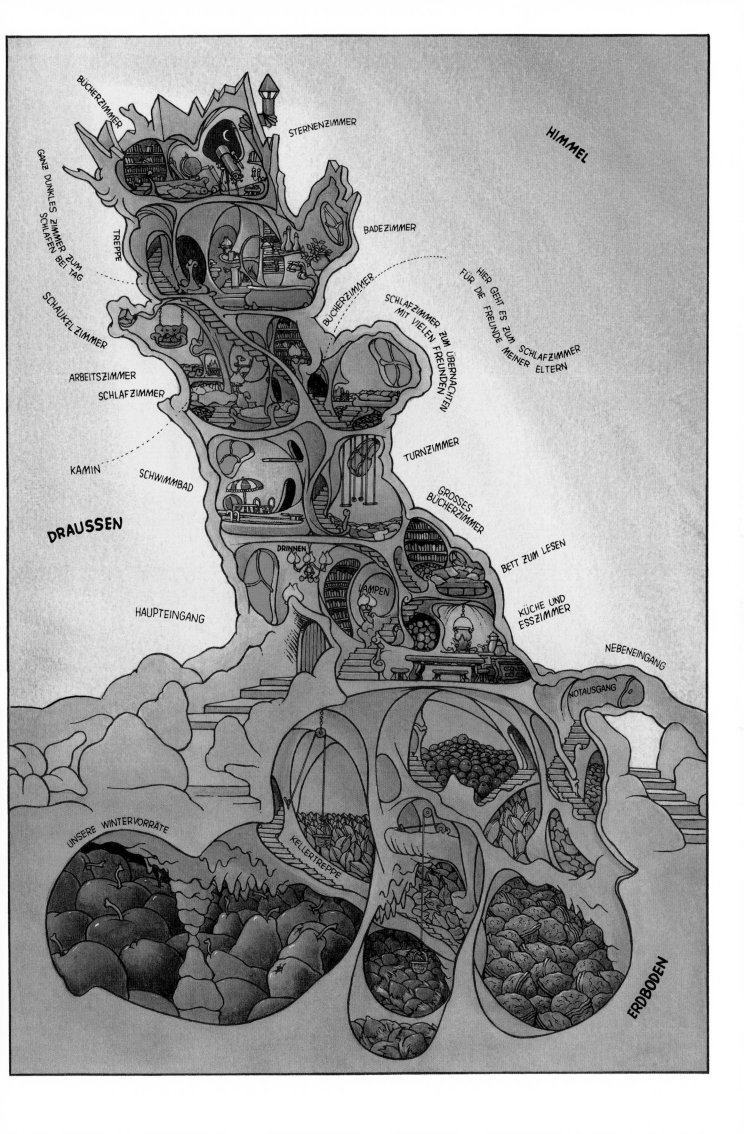

Wenn sich ein Twim etwas wünscht, klebt er ein Stückchen Blattgold auf den Tönenden Stein.

Sobald der Wind aus einer bestimmten Richtung weht, tönt der Stein und die Wünsche gehen in Erfüllung. So war das schon, als die Guschnis noch hier lebten. Die sehen aus wie Pilze und sind sehr scheu.

Vor langer Zeit sind sie eines Tages verschwunden. Ich wollte immer einen sehen, und als eines Abends der Wind richtig stand, hab ich es mir gewünscht. Der Stein hat getönt und da war mit einem Mal ein Guschni.

Der Verirr-dich-nicht-Wald

Zu Zeiten von Ura-Uma-Moma hat sich Plong, da war er noch ganz klein, im Wald verirrt. Als er dreihundert Jahre später wieder auftauchte, war er ein Stückchen gewachsen. Alle haben sich über seine Rückkehr gefreut, er auch. Heute spielen die Kinder »Sich-Verirren« im Wald. Angst haben sie keine, denn Wewindchen, die Tochter von Plong, hat sich was ausgedacht:

Man bekommt einen Bindfaden, den man gut festhalten muss. Man kann den Sternenbrunnen sehen, den Spuren von Plong folgen und am Traum-Ungeheuer vorbeigehen. Keiner weiß, wie man es aufwecken kann. Das versucht aber auch keiner – es könnte ja böse sein.

Ab und zu gibt es ein Gewitter. Wer sich kurz vorher auf die Blauen Felsen stellt und sich umdreht, kann das Weit-Hinten-Land sehen und auch hingehen. So wie der Maler Otsumu-Song.

Er sagt, es sei ganz leer. Niemand lebt da. Komisch, dass es hinter meinem Land noch eins geben soll, wo niemand wohnt, überhaupt niemand.

Manchmal ist das Tal morgens voll Nebel. Die Luft ist mild und kein Laut ist zu hören.
Die Blauen Felsen werden richtig blau. Als ob ein Geheimnis ans Licht käme.

Mit meinen Geheimnissen gehe ich in den Geheimnisbaum und sag sie ihm ins Ohr.
Der Baum ist stumm, er erzählt nie etwas weiter, keinem.

Die Himmelskinder

Eines Tages tauchte am Himmel ein merkwürdiger Baum auf. Ein gewaltiger Sturm hatte ihn ausgerissen und man konnte die Wurzeln sehen. Aus denen purzelten drei Kinder heraus. Sie sahen genauso aus wie Twims, aber wenn man sie anfasste, gab es Funken. Lö-Päng hat den Himmel vom Ausguck aus beobachtet, aber der fremde Haus-Baum kam nie wieder vorbei. Da haben sich die Kinder Familien ausgesucht. Jede wollte eins haben. In den Taschen hatten sie Samen von Boto-Bäumen. Die kannten wir nicht.

Ein Jahr, und es war vorbei mit den Funken der Himmelskinder.

Die ersten Boto-Bäume.

» Schnell, die dürfen nicht hart fallen ! «

Der schrecklich traurige Riese

An einem Tag, meine Schwester Knöpfli und ich
waren allein daheim, kam ein Riese ins Tal. Er hatte
noch nie einen Haus-Baum gesehen. Wozu der gut
sein mochte? Er war viel zu groß, um hineinzukön-
nen, das machte ihn ganz traurig. Dreimal sah er
zur Tür herein und rührte sich dann nicht mehr
vom Fleck. Er wollte es genau wissen. Knöpfli hat
gesagt: »Schön, wir zeigen dir alles.« Das dauerte
drei Tage, drei Nächte und einen Vormittag. Wir
schleppten alles Mögliche herbei und zeigten ihm,
was man damit macht. Wir erklärten ihm die Türen,
die Fenster und die Treppen.

Wir haben geschlafen, gegähnt, gegessen, Kakao
getrunken, Butterbrote gemacht, Bücher gelesen,
sind aufgewacht, haben uns gewaschen, gebadet,
Essen gekocht, abgewaschen, Feuer gemacht,
gespielt. Schließlich sagte er: »Ich verstehe. Ich bau
mir in meinem Tal auch einen Haus-Baum.« Er ist
gegangen und wir haben ihn nie wieder gesehen.

Manchmal steige ich auf den Ausguck, setze mich

auf die allerhöchste Spitze und schaue aufs Meer hinaus …

Im Winter

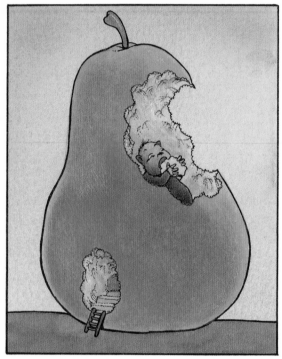

Wenn es schneit, machen wir gleich eine Schneeballschlacht. Dann sehen wir wie lebende Schneemänner aus. Auch essen kann lustig sein, aber nicht sehr lange. Oder ein Tänzchen mit einem kleinen Boto-Baum, damit er sich an den Seegang gewöhnt. Ich gucke gern fern, aber noch lieber mach ich selbst Programm. Ich fahr auch gern Rennen auf dem zugefrorenen Fluss. Am liebsten hab ich es, wenn ich Erster bin und die anderen so weit hinten, dass ich sie nicht mehr sehen kann.

Am schönsten aber ist es, wenn wir alle zusammensitzen und Geschichten in unseren Büchern lesen.

Der starke Wind und der mittelstarke Wind

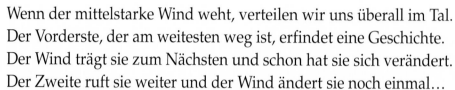

Wenn der mittelstarke Wind weht, verteilen wir uns überall im Tal. Der Vorderste, der am weitesten weg ist, erfindet eine Geschichte. Der Wind trägt sie zum Nächsten und schon hat sie sich verändert. Der Zweite ruft sie weiter und der Wind ändert sie noch einmal…

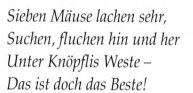

Liebe Leute, hört mal her,
Kuchen backen ist nicht schwer.
Zöpflis ist der Beste,
Da lässt niemand Reste.

Sieben Mäuse lachen sehr,
Suchen, fluchen hin und her
Unter Knöpflis Weste –
Das ist doch das Beste!

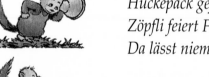

Viele haben's heute schwer,
Huckepack gefällt mir sehr.
Zöpfli feiert Feste,
Da lässt niemand Reste.

Diese Meute tobt umher
Und man fragt ganz laut schon, wer
Sind denn hier die Gäste?
Ja, das ist das Beste!

Vor langer Zeit hat sich Wutschi-Bluh wie ein Vogel von dem starken Wind forttragen lassen. Ab und zu sah man ihn am Himmel vorbeisausen. Eines Tages wuchs ihm eine Feder auf dem Kopf, das mochte er nicht. Da hat Lö-Päng beschlossen ihn zu retten.

Er ist ganz oben in den Früchtebaum gestiegen und hat ihn im richtigen Augenblick geschnappt. So wurde Wutschi-Bluh von Lö-Päng gerettet.

Der Friedhof

Wenn ein Twim stirbt, wird er in seinem eigenen Garten begraben.
So gibt es den Garten für den Bergfreund, für den Twim, der ein
Lebensbaum werden wollte, und den, der niemanden leiden konnte;
einen zum Teetrinken, zum Pilzesammeln oder Blumenpflücken,
aber auch einen mit einem Buch, in das man jemandem, der gern
gelesen hat, etwas schreiben kann.

Garten mit Stein-Eiern.

Glutaugen-Garten.

Ein Garten für Verliebte.

Er wirkt ganz lebendig.

Der Klingklang-Garten.

Der Garten
der unendlichen Geschichte.

Der Garten für solche,
die gern Kinder spielen hören.

Der Schlossgarten für den, der auf
die Rückkehr der Guschnis wartet.

Die Inseln

Tirili-Soso, eins von den Himmelskindern, ist als Erster auf einem Boto-Baum losgesegelt. Das war viel besser als unsere kleinen Nussschalen. Endlich konnte man ganz weit weg fahren. Wir haben noch nicht entdeckt, wo das Meer zu Ende ist, aber gesehen, wie es aufgefüllt wird. Auf seiner dritten Reise hat Diko-Pfig die Badewanneninsel entdeckt. Da fließt das Wasser ununterbrochen und macht einen Schaum, den man zum Nachtisch essen kann. Je nach Jahreszeit schmeckt er verschieden.

Twim Situl-Soso, der mit den 27 Enkeln, hat gesagt, es gibt genauso viele Inseln wie Sterne. Am bekanntesten sind: Die Heia-Heia-Insel mit ihren Kopfkissen voll Geschichten, die Nam-Nam-Insel, die man ganz

aufessen kann, die Strubbelinsel und die Überraschungsinsel, in der jeden Tag ein neues Geschenk steckt.

Das Austob-Haus

Wenn ein Twim fuchsteufelswild ist, geht er ins Austob-Haus. Einmal war ich ganz wütend auf Tornir-Üb. Der hatte mir meine liebste Puppe kaputt gemacht – mit Absicht, das war klar. Da bin ich ins Austob-Haus gegangen und hab mir eine Mordswut-Maske gebastelt und einen Hampelmann mit dem blöden Grinsen von Tornir-Üb. Dann sprang ich aufs Podium und hab meine Mordswut ausgetobt. Ich hab alles gesagt, was ich auf dem Herzen hatte, und noch viel mehr. Ich hab geschrien, gebrüllt, mit den Füßen gestampft, mit den Fäusten und dem Hammer auf den Hampelmann eingedroschen, bis er Kleinholz war. Die Holzbrösel haben mich dann um Verzeihung gebeten.

Der Regen

Mein Lieblingsspiel, wenn es regnet, ist »Zauberpfütze suchen«. Das ist bei jedem Regen eine Einzige im ganzen Tal. Nur in sie kann man eintauchen und dann aus jeder anderen wieder hochkommen. Die anderen sind lauter Ausgänge. Es macht einen Riesenspaß, wenn man die Zauberpfütze gefunden hat, reinzuhopsen, ohne zu wissen, wo man wieder herauskommt. Ich fang mir auch gern Fliegschirme, die bei Regen ganz schnell wachsen. Mit denen kann man viele Spiele machen und nach Inseln suchen.

Ich stell auch gern die kleinen Boto-Bäume in den Regen. Um den Regensammler kümmere ich mich nicht so gern, auch wenn der Tee mit Regenwasser vom frühen Morgen am besten schmeckt. Bei dem Spiel steht man bloß da und langweilt sich.

Der König der Bäume

Der König der Bäume heißt O'Telemann. Er hört am liebsten die Vögel singen. Sein Kopf ist voll von ihnen. Er lässt seine Äste so wachsen, dass möglichst viele Nester darauf passen. Wenn er eine andere Musik hören will, geht er in einen anderen Wald. Das tut er tagsüber fast nie. Bugi-Wugi hat es mal gesehen. Ich noch nie. Seit O'Telemann weiß, dass man aus dem Holz von Bäumen Bücher macht, träumt er von dem Buch, das er später mal sein wird. Er möchte, dass es ein sehr schönes Buch wird. Manchmal denkt er, er sollte es selber schreiben.

Wenn er die Vögel hören will, schüttelt er den Kopf. Dann fliegen sie ein bisschen hin und her, setzen sich wieder auf die Zweige und singen drauflos.

Im Sommer

Im Sommer ist der Früchtebaum am schönsten. Weil an ihm allerlei Obst hängt, hatte Ura-Uma-Moma unseren Haus-Baum gleich daneben gepflanzt. Im Sommer kann man herrlich spielen.
Zum Fest-der-kürzesten-Nacht schlafen wir gar nicht. Wir probieren alles Obst durch und tanzen ums Feuer. Die mutigsten Twims springen drüber weg. (Ich schon fünf Mal.)

Sommer – Zeit für Geheimnisse.

Die Nacht der Papas

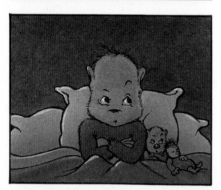

Nachts im Bett hab ich oft überlegt, was die Eltern machen, wenn ich schlafe. Bei diesem Gedanken wurde ich immer wach. Eines Nachts hat mich das so wach gemacht, dass ich aufstehen musste. Ich hab dann aufgepasst, was mein Papa machte. Ich bin ihm aus dem Haus-Baum bis zu einem Standbild gefolgt. Das hatte ich noch nie gesehen. Er ist hineingegangen. Als er wieder herauskam, hat er mich entdeckt und gesagt: »Na, komm her, du bist groß genug, ich erklär's dir…« Wir sind spazieren gegangen und er hat mir alles erzählt. Jedes Jahr gibt es eine Nacht der Papas. Dann erscheint ein großes Standbild eines Twim-Papa auf dem Berg. Alle Papas gehen da rein, um zu lernen, wie man ein guter Papa wird. Wir haben uns hingesetzt und zugeguckt, wie das Standbild verschwunden ist. Dann sind wir heimgegangen. Ich hab gefragt, ob es auch eine Nacht der Mamas gibt. Er hat gesagt, ja, aber das ist das Geheimnis der Mamas. Im Bett ist mir dann eingefallen: »Und was ist mit den Kindern?« Da hat mein Didi das einzige Mal gesprochen und gesagt: »Jede Nacht ist Kinder-Nacht.«

Twim-Lussuf, der tausendzweihundertsiebenundvierzig Jahre alt geworden ist, hat immer gesagt:
»Unser Tal ist wie der Haus-Baum zum Spielen im Haus-Baum der Twims.« Ich weiß nicht, ob das stimmt.
Aber falls mein Tal ein kleines in einem größeren Tal ist, geh ich bestimmt mal nachsehen.

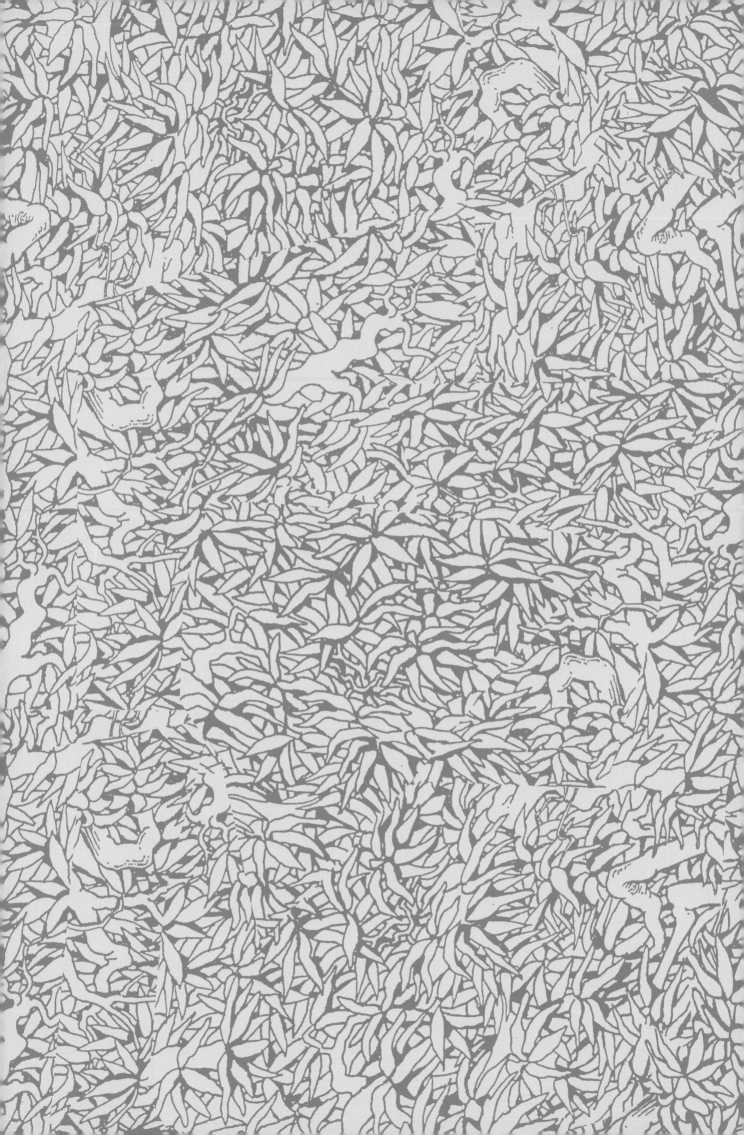